D1203209

Pour Madeline

Titre original : "Bark, George", *Michael di Capua Books*,
1999, *HarperCollins Publishers*, USA.
Texte français de Claude Lager

Loi 49956 du 16 juillet 1949,
sur les publications destinées à la jeunesse.
Dépôt légal : juillet 2011
ISBN 978-2-211-05718-9

Typographie française : *Architexte*, Bruxelles
Imprimé en Italie par *Grafiche AZ*, Vérone

Jules Feiffer

ABOIE, GEORGES !

PASTEL
l'école des loisirs

La maman de Georges dit :

“Aboie, Georges !”

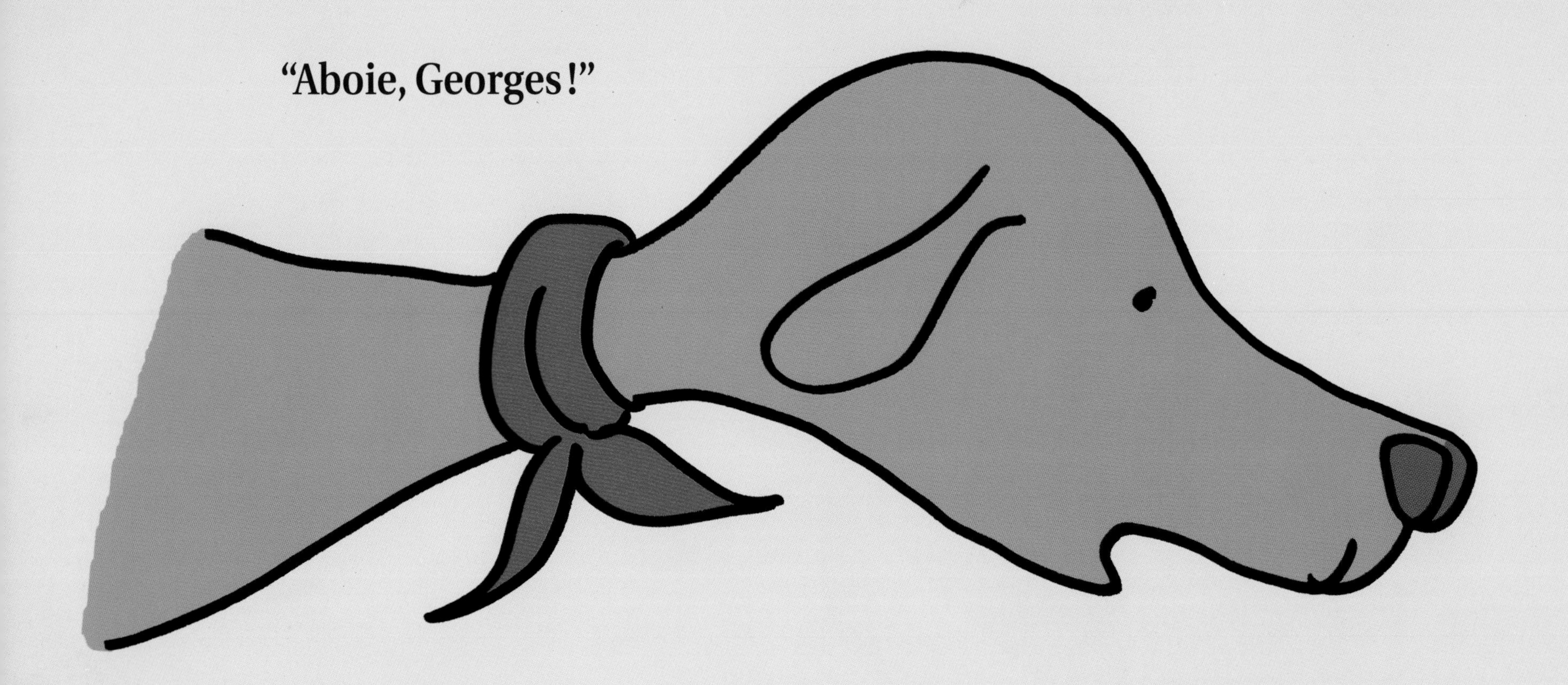

Georges fait : “Miaou”.

“Non, Georges”, dit la maman de Georges.
“Les chats font miaou mais les chiens font wouf.
Allez! Aboie, Georges!”

Georges fait : “Coin coin”.

"Non, Georges", dit la maman de Georges.
"Les canards font coin coin mais les chiens font wouf.
Allez ! Aboie, Georges !"

Georges fait : “Oink”.

“Non, Georges”, dit la maman de Georges.
Les cochons font oink mais les chiens font wouf.
Allez ! Aboie, Georges !”

Georges fait : “Meuh”.

La maman de Georges emmène son fils chez le vétérinaire.
“Essayons de découvrir le fin fond de cette histoire…”
dit le vétérinaire. “Aboie, Georges, s’il te plaît !”

Georges fait : “Miaou”.

Le vétérinaire plonge la main à l'intérieur de Georges…

et en retire un chat.

“Aboie encore, Georges !”

Georges fait : “Coin coin”.

Le vétérinaire plonge la main loin à l’intérieur de Georges…

et en retire un canard.

"Aboie encore, Georges!"

Georges fait: "Oink."

Le vétérinaire plonge la main loin loin loin à l'intérieur de Georges...

et en retire un cochon.

"Aboie encore, Georges !"
Georges fait : "Meuh."
Le vétérinaire enfile son plus long gant de latex…

plonge la main loin, loin, loin, loin, loin, loin, loin, loin, loin, loin
à l'intérieur de Georges…

et en retire une vache.

“Aboie encore, Georges !”

Georges fait :

La mère de Georges est tellement émue qu'elle embrasse le vétérinaire…

et le chat, et le canard, et le cochon, et la vache.

Sur le chemin du retour, elle veut que tout le monde dans la rue entende aboyer son fils. “Allez ! Aboie encore, Georges !” dit-elle.

Et Georges fait :

BONJOUR !